DESTINATION
JAPON

À Lila.
A. C.

**NOUS SOMMES TOUS DIFFÉRENTS,
DONC TOUS EXCEPTIONNELS.**

PROVERBE ARAMÉEN

Éditions Play Bac, 14 bis, rue des Minimes, 75003 Paris ; www.playbac.fr

DESTINATION JAPON

MOKA

ILLUSTRATIONS
ANNE CRESCI

playBac

kinra girls

IDALINA

KUMIKO

Kumiko est japonaise. C'est une peintre talentueuse, qui aime aussi la photo et la mode.

Idalina est espagnole. Elle joue de la guitare et c'est une superbe chanteuse de flamenco.

NAÏMA

RAJANI

ALEXA

Naïma est afro-américaine. Son père est américain et sa mère vient d'Afrique. Le cirque est sa passion.

Rajani est indienne. Elle adore danser, surtout les danses traditionnelles de son pays.

Alexa est australienne. Elle monte à cheval et souhaite devenir championne d'équitation.

MICHELLE
ennemie
des Kinra Girls

RUBY
ennemie
des Kinra Girls

JENNIFER
ennemie
des Kinra Girls

MICKAEL
ami
des Kinra Girls

JOHANNIS
ami
des Kinra Girls

LOUISE
amie
des Kinra Girls

JOHN
ami
des Kinra Girls

M. MEYER
le directeur

MISS DAISY
l'assistante
du directeur

MME BECKETT
le professeur
d'anglais

**SIGNORA
DELLA TORRE**
le professeur
de chant

MME JENSEN
le professeur
de danse

MME GANZ
le professeur
d'art dramatique

MAÎTRE WANG
le professeur
de dessin

M. RAMOS
le professeur
de guitare

M. BROWN
le professeur
de mathématiques

M. TREMBLAY
le professeur
des arts du cirque

RAINER
le professeur
d'équitation

Chapitre 1

En route pour l'aventure !

Idalina posa les deux mains à plat sur la vitre de la grande baie de l'aéroport. Elle regardait les quatre avions en attente de décollage. Elle poussa un énorme soupir en se retournant vers Naïma.

— Je n'ai vraiment pas envie de partir ! Je vais être malade !

— Ben, les voyages font partie du programme

de notre école, répondit Naïma. T'aurais dû y penser avant de t'inscrire.

— Mais je ne savais pas que j'avais le mal de l'air ! dit Idalina. Je n'avais jamais pris l'avion avant de venir à l'Académie !

Assise en compagnie de Rajani, Kumiko, elle aussi, soupirait.

— Et moi, je retourne dans mon pays ! remarqua-t-elle. Tu parles si c'est intéressant pour moi d'aller visiter le Japon !

— De quoi te plains-tu ? rétorqua Rajani. Tu vas découvrir un endroit que tu ne connais pas ! Et je te rappelle qu'on va dans l'île de Kyushu et pas à Kyoto à cause de toi !

Kumiko haussa les épaules et grommela.

— *Hikôki* ! fit soudain Idalina.

— T'as le hoquet ? demanda Alexa.

Idalina rit et lui montra le dictionnaire

de poche que lui avait prêté Kumiko.
L'Espagnole avait une passion pour
les langues étrangères et elle voulait
apprendre le japonais.

– C'est comme ça qu'on dit « avion » en
japonais ! expliqua-t-elle. Et là, il y en a
quatre dehors alors c'est « *shi hikôki* » !
« Quatre avions » !

– En fait, non, répondit Kumiko.
On dit : « *yondai no hikôki* ».

– Ah bon ? s'étonna Idalina. Dans ton
dictionnaire, il y a écrit que « quatre »
se dit « *shi* ».

– Oui, mais les Japonais évitent d'utiliser
le mot « *shi* » parce que ça veut aussi dire
« mort » et ça porte malheur. Sauf qu'on
s'en sert quand même dans certains cas…
Comme pour le mois d'avril, c'est le
quatrième mois de l'année, alors on dit
« *shigatsu* ».

– C'est compliqué, cette langue, constata
Idalina.

Mme Beckett, le professeur d'anglais, appela
ses élèves. Il était l'heure de monter à bord.

– En route pour l'aventure ! s'exclama
Alexa avec enthousiasme.

– Dans le calme ! gronda Mme Beckett
en roulant de gros yeux. Je compte sur
vous pour vous tenir correctement
et pour ne pas déranger les autres
passagers !

– Voyager avec Mme Beckett, ça gâche
un peu le plaisir… murmura Naïma.

Miss Daisy, l'assistante du directeur de
l'Académie, et Mme Ganz qui enseignait le
théâtre accompagnaient la classe. Après un
petit séjour à Tokyo, la capitale du Japon,
les élèves seraient séparés en deux groupes
de dix. Le premier, conduit par Mme Ganz,
partirait visiter les temples de Kyoto et de

Nara. Sur place, un professeur d'histoire japonais les attendait. Le second groupe se rendrait à Kyushu, l'île des volcans et des sources d'eau chaude. Les Kinra Girls avaient choisi Kyushu parce que Kumiko vivait à Kyoto et souhaitait découvrir une partie du Japon qu'elle ne connaissait pas. De toute façon, elle verrait ses parents dans quelques semaines, aux vacances de Noël. Mais malheureusement, elles se retrouvaient avec Mme Beckett... et heureusement avec Miss Daisy !

Dans un coin, Michelle, la colocataire d'Alexa, boudait. Elle était furieuse d'avoir été désignée par un stupide tirage au sort. Il manquait un élève dans le groupe de Mme Beckett et c'était tombé sur elle. Elle ne s'en remettait pas !

L'hôtesse de l'aéroport adressa un signe à Mme Beckett.

– Dépêchons, dépêchons ! cria le
professeur d'anglais. C'est notre tour !
En rang ! Silence !

Mme Beckett se radoucit quand Idalina
passa devant elle.

– Tiens, Idalina, dit-elle en lui tendant
un livre. Voilà le guide que j'ai promis
de te prêter.

– Oh, merci, madame !
répondit Idalina.
Heu... ***Arigatô¹*** !

Mme Beckett sourit.

– C'est agréable de voir qu'au moins
une élève s'intéresse à notre voyage...

Entrée la première dans l'avion, Rajani avait
gardé les deux places près d'elle. Alexa et
Idalina s'y installèrent. Kumiko et Naïma
s'assirent dans la rangée derrière.

Naïma vit avec horreur Mme Beckett
s'avancer dans le couloir. Oh non ! Pourvu

1. Arigatô *(en japonais)* : merci.

que celle-ci ne prenne pas le siège libre
à côté d'elle ! Par chance, un de leurs
camarades arrêta le professeur pour lui
poser une question.

– Vous voulez venir avec nous ? demanda
Naïma quand Miss Daisy passa près d'elle.

– Ce serait avec plaisir, répondit
Miss Daisy.

Naïma et Kumiko parurent tellement
soulagées que Miss Daisy comprit aussitôt
pourquoi.

– Concordia, pardon, Mme Beckett,
n'est pas un monstre tout de même,
remarqua-t-elle.

– Peut-être pas, dit Kumiko, mais
dix heures d'avion, c'est très long ! Et puis,
regardez ! Mme Beckett crie après
Mickael parce qu'il est encore debout !

Miss Daisy grimaça d'une manière comique,
puis hocha la tête.

– Il ne faut pas lui en vouloir : Concordia
s'inquiète pour un rien. Je crois qu'elle
a surtout peur de perdre l'un d'entre
vous. Tiens, là, tout de suite, elle est
en train de vous recompter ! C'est
la cinquième fois depuis qu'on a
quitté l'Académie.

Dans la rangée devant, Rajani proposa le
siège près du hublot à Idalina. Celle-ci refusa.

– Je dois rester côté couloir, expliqua
Idalina. Pour aller aux toilettes plus vite.

– Comment tu feras quand tu seras une
star internationale ? demanda Alexa.
Tu prendras tout le temps l'avion !

– Alors, je serai tout le temps malade,
soupira Idalina.

Dans l'espoir de penser à autre chose,
elle ouvrit le guide touristique. Elle chercha
les pages sur l'île de Kyushu. Et à peine lues
les premières lignes, Idalina blêmit. Elle se

retourna pour s'agenouiller sur son siège.
Par-dessus le dossier, elle tendit le guide
à Miss Daisy.

– Qu'est-ce que tu fais ? protesta
Miss Daisy.

– Là, s'écria Idalina, il est écrit qu'il y a
plein de volcans et qu'ils sont actifs !
C'est super dangereux ! Je ne veux pas
aller me promener sur des volcans qui
risquent d'exploser !

– Il y a beaucoup de volcans au Japon,
répondit Kumiko. Ce sont aussi les plus
surveillés du monde !

– Le danger est partout, remarqua
Miss Daisy. Un endroit parfaitement sûr,
ça n'existe pas. Même si tu ne bouges pas
de chez toi, il peut t'arriver un accident !
Alexa s'agenouilla comme Idalina pour
participer à la conversation.

– Ouais, dit Alexa, imagine que je t'invite

dans mon pays. N'importe où, n'importe quand, tu pourrais être dévorée par un crocodile, attaquée par un requin, mordue par un serpent-tigre ou piquée par une méduse venimeuse ! Ben, pourtant, je suis toujours vivante !

– À mon avis, tu les fais tous fuir !

dit Naïma en riant.

La voix de l'hôtesse retentit dans les haut-parleurs. Le décollage était imminent. Idalina s'empressa de se rasseoir et de boucler sa ceinture. Elle regarda Alexa, sa voisine la plus proche.

– Ça ne t'ennuie pas si je te tiens la main ? demanda-t-elle timidement.

Alexa ne répondit pas. Elle prit la main de son amie dans la sienne et la serra fort.

son mouchoir. Je crois que je me suis enrhumée. Ça, c'est nettement moins bien…

– C'est mal élevé de se moucher en public au Japon, remarqua Kumiko.

Naïma, le mouchoir sur le nez, la regarda avec des yeux écarquillés.

– Ben… comment je fais, alors ? Je ne vais pas renifler, non ?

– Si, répondit Kumiko. Parce que, dans mon pays, renifler n'est pas mal élevé. On est encore dans la zone internationale de l'aéroport. Profites-en !

Naïma se tourna afin de se cacher un peu pour se moucher. Alexa tenait toujours Idalina par la main. L'Espagnole n'avait pas fermé l'œil mais avait été moins malade que prévu. Mme Ganz rassembla les élèves. Il fallait récupérer les bagages et prendre un car spécialement réservé pour l'Académie.

L'aéroport de Narita était situé à plus
de 60 kilomètres de Tokyo.

> – J'espère que l'hôtel est bien, dit Ruby
> la peste.

Miss Daisy lui répondit qu'ils étaient logés
dans une auberge de jeunesse.

> – Quoi ? cria Ruby. Je ne vais pas
> partager un dortoir avec les autres
> filles quand même ?
>
> – J'en déduis que tu n'as pas lu le dossier
> qu'on t'a remis à l'école, rétorqua
> Miss Daisy.

Cette gamine qui se comportait comme
une princesse lui tapait sur les nerfs.
Dans le car, tout le monde somnolait.
Naïma, collée contre la vitre, ne perdait pas
son temps à dormir. Elle était au Japon !
Certes, le spectacle des voitures sur les
autoroutes n'avait rien de passionnant,
mais elle ne voulait rien rater. Au bout

d'une heure et demie, le car s'arrêta dans une rue calme de Tokyo. Naïma souriait de toutes ses dents. Elle était au Japon !

Mme Beckett étouffa un bâillement.

– Allez, allez ! Reprenez vos sacs, on se dépêche ! Cet après-midi, on se repose. La visite commence demain et vous avez intérêt à être en forme. Le programme est plutôt chargé !

Son regard tomba sur Michelle et Ruby et elle grogna. Au départ, il n'y en avait qu'une qui boudait, maintenant il y en avait deux !

Ça promettait !

***

Naïma sauta de son lit et éternua. Elle était vraiment enrhumée. Elle réveilla Idalina qui dormait encore. Comme il y avait six lits dans la chambre, les Kinra Girls avaient invité Louise à se joindre à elles. Louise faisait partie de l'équipe d'équitation d'Alexa. C'était une fille sympa, de compagnie agréable. Et en plus, elle détestait Ruby ! Quand Mme Beckett disait que le programme serait chargé, elle ne mentait pas. Après le petit déjeuner, le groupe partit visiter le musée national de Tokyo. Ah, pour être beau, l'art japonais était beau... Mais après avoir vu la quarantième estampe[3], la vingt-cinquième statue de Bouddha et les trente mille objets en laque ou en céramique, les sabres et les armures, les élèves n'en pouvaient plus. Aussi, quand Mme Beckett proposa de se rendre au pavillon d'archéologie, Mme Ganz protesta.

– Vous cherchez à les tuer, ces pauvres enfants ? Et puis, vous avez vu l'heure ?

– Oh, déjà, 13 heures ? Il faut nous

3. Estampe : *image imprimée à partir d'une gravure sur bois, sur métal ou sur pierre.*

***

La porte de la chambre des filles fut brusquement ouverte en grand.

– Debout, là-dedans ! cria Mme Beckett. On a juste le temps d'avaler un bol de nouilles avant de retourner au parc !

Louise, réveillée en sursaut, se redressa d'un coup et se cogna la tête sur le sommier du lit du dessus. Idalina grogna et se couvrit le visage avec le drap. Naïma éternua et se moucha.

– *Be* crois que cette fois, *be* suis bien *enrhubée,* soupira-t-elle.

– Ah oui, ça s'entend ! rigola Kumiko.

– Aaaaaaah ! s'exclama Alexa en sautant de son lit. Je meurs de faim !

– *Bas* moi, répondit Naïma, tristement. *B'ai bas* envie de *banger…*

– Alors, là, c'est sérieux ! remarqua Alexa.

Naïma qui n'a pas envie de manger !

Tu dois aller très mal !

– C'est *bas brûle...* grommela Naïma.

Rajani partit à la recherche de Miss Daisy qui avait une trousse de premiers secours. Elle revint avec deux comprimés pour Naïma.

– Tu n'en as pas pour moi ? demanda Kumiko.

– Tu es malade aussi ? s'inquiéta Rajani.

– Pas encore. Mais après dix heures de théâtre nô, nous aurons toutes la migraine !

– Comment ça : dix heures ? dit Alexa.

– C'est le temps que ça dure ! expliqua Kumiko. Cinq pièces à la suite avec, entre deux, de petites scènes comiques qu'on appelle **Kyôgen**. Le théâtre nô, c'est long, c'est ennuyeux et en plus, tu ne comprends rien parce que le texte n'est même pas en japonais moderne !

Idalina se précipita dans le couloir et trouva Mme Beckett en compagnie de Mme Ganz.

— Madame, madame ! C'est vrai qu'un spectacle de nô dure dix heures ?

— Rassure-toi, nous allons voir une représentation pour les touristes.

Il n'y a que deux pièces.

— Deux ? s'affola Mme Ganz. Les enfants ne vont jamais tenir aussi longtemps !

— Allons donc ! répondit Mme Beckett.

Ah, enfin ! Ils sont prêts. En route !

Les élèves étaient très excités en partant vers le métro. Dans l'espoir de les faire tenir tranquilles pendant le trajet, Mme Beckett leur raconta la première pièce qu'ils allaient voir.

— C'est l'histoire de la princesse Aoi.

Elle est frappée par une mystérieuse maladie. On fait venir une sorcière qui appelle l'esprit malin responsable de la maladie. L'esprit apparaît et crache toute

sa haine. Un moine oblige alors l'esprit à
révéler sa vraie nature : c'est l'ancienne
épouse du prince, jalouse de la princesse
Aoi. Elle est finalement vaincue par
le moine.

– Ça a l'air intéressant, remarqua
Mickael. Un fantôme, une sorcière...
Il y a des bagarres ?

– Bien sûr que non, répondit Mme Ganz.
Le théâtre nô, c'est de la musique et
de la danse.

Il y avait foule dans le parc Yoyogi. On
profitait de la douceur pour se promener.
Mme Beckett pressa les enfants. Ils n'étaient
pas en avance et le spectacle allait
bientôt débuter.

La scène du théâtre, installée dehors,
était presque vide. Elle était constituée
de quatre piliers et d'un toit. Une jolie
passerelle en bois reliait l'estrade aux

coulisses. Quatre musiciens entrèrent par
là. Trois d'entre eux portaient des tambours
et le dernier, une flûte. Ils s'agenouillèrent
à l'arrière de la scène. Suivirent les quatre
membres du chœur, les chanteurs,
qui s'installèrent en ligne sur le côté droit.
Ils étaient tous habillés de noir. Un homme
vint déposer un kimono plié à même le sol.
Le kimono représentait la princesse Aoi.
L'acteur entra à son tour. Il était vêtu d'un
somptueux costume orange et or avec de
larges manches. Son visage était couvert par
un masque. Il tenait un éventail dans la main
droite. Le chœur commença à raconter
l'histoire. Un curieux chant qui ressemblait
plus à une prière chantée qu'à une chanson.
L'acteur restait totalement immobile.

> – C'est bizarre, cette musique, commenta
l'un des garçons de la classe.
Ça file les jetons !

— Le son de cette flûte me fait mal aux oreilles, répondit son voisin.

— Jamais il bouge, l'acteur ? demanda un autre.

Mme Beckett se retourna vers eux et leur fit les gros yeux.

L'acteur se décida à bouger. Mais ses mouvements étaient d'une lenteur ! Il agitait un peu les manches et jouait avec son éventail. De temps en temps, il traversait la scène à petits pas.

— C'est de la danse, ça ? ricana Ruby.

— La danse du nô, c'est comme un code, dit Mme Ganz. Chaque geste est un symbole.

Au bout d'une demi-heure, la plupart des élèves, y compris Alexa, dormaient sur place. Naïma se cachait sous sa veste pour se moucher toutes les cinq minutes. Elle ne voulait pas que les Japonais pensent qu'elle était mal élevée. Kumiko avait trouvé un truc pour ne pas s'endormir. Elle avait apporté un carnet et des crayons de couleur.

— Qu'est-ce que tu fais ? murmura Rajani.

— Un carnet de voyage, répondit Kumiko. J'ai eu cette idée cet après-midi.

Rajani se pencha vers elle pour regarder. Kumiko lui montra ses dessins des jardins du parc. Puis elle tourna la page pour continuer à dessiner le beau costume de l'acteur.

Les deux poings sous le menton et les coudes sur les genoux, Idalina suivait le spectacle avec fascination. Cette musique étrange, ces chants traînants et graves, cette danse presque immobile lui donnaient des frissons. Elle ressentait une émotion très

forte sans savoir pourquoi. Le nô parlait
à son âme et ça, ça ne s'explique pas.
Les applaudissements réveillèrent tout
le monde.

> – On s'en va ? espéra Mickael.

> – Oui, décida Mme Ganz. Désolée,
> Concordia, mais les enfants doivent
> se coucher !

Mme Beckett ne protesta pas, même si elle
était déçue. Elle voyait bien que ses élèves
ne pouvaient en supporter davantage ! Elle
fut très étonnée quand Idalina lui dit en se
levant :

> – J'ai beaucoup aimé. ***Dômo arigatô
> gozaimasu***[5], Mme Beckett !

---

5. Dômo arigatô gozaimasu *(en japonais) : merci beaucoup.*
En japonais, le plus souvent le « u » à la fin des mots ne se prononce pas.

Chapitre 3

Ici commence la paix

Le groupe des Kinra Girls avait la malchance d'être le premier à partir. Le lever à 6 heures fut très dur pour tout le monde ! Malgré sa fatigue, Idalina ne se rendormit pas dans l'avion. Elle lisait le guide touristique de Mme Beckett. Le livre comportait une partie qui s'intitulait : « se débrouiller en japonais ». Idalina surprit l'hôtesse en lui demandant :

– *Otearai wa dochira desu ka*[6] ?

6. Otearai wa dochira desu ka *(en japonais) : où sont les toilettes, s'il vous plaît ?*

La jolie hôtesse s'inclina légèrement devant elle et lui sourit.

– Les toilettes sont à l'arrière, répondit-elle.

Idalina n'oublia pas de la remercier en japonais. Kumiko entrouvrit un œil.

– Bravo, complimenta-t-elle. Ta phrase était parfaite !

Idalina lui montra le guide.

– Ce n'était pas difficile. C'est écrit là ! Je peux dire aussi : « Est-ce que ça vous gêne si je fume ? » Mais ça ne va pas être très facile à placer...

– En effet ! rit Kumiko. Maintenant que je sais où sont les toilettes, je crois que je vais y aller.

Une heure plus tard, leur avion atterrissait à Nagasaki. Après le passage obligé à l'auberge de jeunesse pour y déposer les bagages, le petit groupe prit le tramway pour se rendre dans un parc au nord de la ville.

– Ce n'est pas encore là que je vais trouver un KBF, râla Michelle.

– Jamais tu ne penses à autre chose qu'à acheter des fringues ? lui rétorqua Alexa. Michelle haussa les épaules puis, fidèle à son habitude, se mit à bouder.

– Oh ! Il y a des chats dans ce parc ! s'exclama Louise. Minou, minou...

– Ils n'ont pas de queue, c'est bizarre, remarqua John, un élève qui étudiait l'art dramatique avec Mme Ganz.

– Ils sont de la race bobtail, expliqua Johannis, une race de chats à la queue écourtée. Le bobtail japonais a servi de modèle pour le chat porte-bonheur qu'on voit partout dans les magasins et les restaurants. Celui avec la patte à côté de l'oreille.

– Comment tu sais ça ? demanda son copain Mickael.

– Parce que je lis des livres, moi ! répondit Johannis, d'un ton moqueur.

Idalina cherchait frénétiquement dans le dictionnaire de Kumiko. Puis elle annonça triomphalement :

– *Neko*[7] *ga yondai imasu !* « Il y a quatre chats » !

– Tu es drôlement douée pour les langues étrangères, remarqua Kumiko. C'était… presque ça.

– Comment ça : presque ? dit Idalina, déçue.

7. Neko *(en japonais) : chat.*

– Ben, le problème, c'est que tu ne peux pas traduire « quatre » par « *yondai* » parce que les chats sont des animaux. Il faut dire « *yonhiki* ».

L'allée du parc menait à une colonne de pierres noires. Johannis regarda Mme Beckett, l'air soudain sérieux. Le professeur hocha la tête.

– Mes enfants, arrêtons-nous quelques instants. Cet obélisque noir devant nous indique l'endroit où a explosé une bombe atomique en 1945.

– Après, dit Johannis, la Seconde Guerre mondiale était finie.

Rajani se tourna vers Kumiko. La Japonaise baissa les yeux.

– C'est exact, Johannis, acquiesça Mme Beckett. Le 6 août 1945, les Américains ont largué une bombe atomique sur Hiroshima. Aussi étonnant que ça puisse paraître, l'empereur du Japon et son gouvernement n'ont pas cru que c'était vraiment arrivé. Ils ont poursuivi les combats. C'est pour ça que les Américains ont envoyé une bombe sur Nagasaki, le 9 août.

– Il y a eu beaucoup de morts ? demanda Naïma d'une toute petite voix.

– Oh oui, soupira Mme Beckett. Des milliers. Là-bas, vous apercevez le musée de la Bombe atomique. Je ne vous cache pas que la visite de ce musée

est très difficile à supporter. On y voit
des photos prises après le drame et
des objets comme des bouteilles ou
des pièces fondues par la chaleur, des
vêtements brûlés… Je n'oblige personne
à y aller mais si certains d'entre vous
le souhaitent, je les accompagnerai au
musée. Les autres pourront rester dans
le parc avec Miss Daisy.

Kumiko se redressa.

– Bukko, mon grand-père, dit que c'est
un devoir pour un Japonais de visiter le
musée de la Bombe atomique à Nagasaki
et le musée de la Paix à Hiroshima,
déclara-t-elle. Je ne connais pas celui
d'Hiroshima, alors je veux voir celui-ci.

– Je viens aussi, décida Johannis en
donnant un coup de coude à Mickael.

– Hein ? fit celui-ci en sursautant.
Ah, oui, oui, moi aussi.

Rajani prit la main de Kumiko.

— On y va avec toi… N'est-ce pas, les filles ?
Alexa, Naïma et Idalina acquiescèrent.
Quand on est l'ami de quelqu'un, on l'est
dans la joie comme dans la peine.

**

Mme Beckett était très fière de ses dix
élèves. Tous, sans exception, l'avaient
suivie au musée. Miss Daisy essuya ses yeux
humides en ressortant. Les garçons, Mickael,
Johannis et John, essayaient de faire bonne
figure, mais les larmes n'étaient pas loin.
Michelle en avait oublié de bouder. Naïma
renifla et son rhume n'y était pour rien.
Alexa la bavarde restait muette. Kumiko
garderait en mémoire toute sa vie ce qu'elle
avait vu dans ce musée. En particulier, cette
horloge qui s'était arrêtée exactement à
11 h 02, l'heure où la bombe avait explosé

au-dessus de Nagasaki. Rajani n'avait pas lâché la main de son amie durant la visite et elle la tenait toujours.

 – Les hommes sont fous… murmura Louise.

Idalina s'assit sur un banc et se mit à pleurer. La vieille Japonaise qui était assise là se tourna vers elle. Elle pointa le doigt vers la poitrine d'Idalina. Elle prononça quelques mots en japonais. Idalina regarda Kumiko.

 – Qu'est-ce qu'elle a dit ? demanda-t-elle, la gorge serrée.

 – « La paix commence ici, dans ton cœur. »

Idalina inclina le buste vers la vieille femme et, entre deux sanglots, réussit à lui répondre :

 – *Dômo arigatô goizamasu.*

Ce n'était peut-être pas la chose la plus appropriée à dire, mais la Japonaise apprécia et lui offrit un sourire d'une infinie douceur.

sérénité des jardins. Un vrai enchantement
après le musée de la Bombe atomique !

Entre les pages de son carnet, Kumiko avait
glissé le ticket d'entrée du musée. Pour ne
jamais oublier…

Il fallait changer de train à Fukuoka. Dans
un kiosque de la gare, Miss Daisy acheta des
ekiben[8]. Dans une boîte rectangulaire étaient
disposés avec art du poisson, du riz et des
légumes marinés. C'était non seulement joli
à regarder, mais aussi délicieux à manger !

Deux heures et demie plus tard, le groupe
arriva à Beppu. Un minibus les attendait.
Un monsieur tendit les clés à Mme Beckett
et repartit. Au Japon, comme en Grande-
Bretagne, on roule à gauche. Ce qui ne posait
aucun problème à Mme Beckett puisqu'elle
était anglaise !

Une fois les bagages déposés à l'arrière
du véhicule, les enfants s'installèrent dans

---

8. Ekiben *(en japonais) : coffret-repas. Peu chers et toujours frais,
ces coffrets-repas sont très appréciés par les Japonais.*

le minibus. Au bout de quelques minutes,
Alexa s'exclama :

– Hé ! C'est pollué, ici ! Il y a plein
de fumée partout !

Assise à l'avant, Miss Daisy se retourna.

– Ce n'est pas la pollution, expliqua-t-elle.
Ce que vous voyez, ce sont les vapeurs
des sources chaudes, un souvenir laissé
par l'éruption du volcan Tsurumi,
il y a plusieurs siècles. La vapeur passe
partout, même dans les fissures des
trottoirs ! Beppu est ce qu'on appelle
une ville thermale. Les gens viennent
prendre des bains dans les eaux chaudes
pour soigner leurs rhumatismes ou
simplement pour se sentir bien. Et nous
allons faire l'expérience, nous aussi !

– J'espère que ça va me guérir, soupira
Naïma. Parce que j'en ai marre
de renifler !

– Et maintenant, en route pour les huit enfers ! annonça Mme Beckett.

C'était ainsi que l'on nommait les plus grandes sources de Beppu. La baignade y était interdite car très dangereuse. Il y avait aussi des mares de boue bouillonnante et même des geysers. La végétation était tropicale et rendait la promenade agréable. Kumiko prit des dizaines de photos tant le spectacle était incroyable. Et les couleurs ! L'enfer de la Mer était d'un profond bleu azur alors que l'enfer de Sang était d'un rouge foncé. Des Japonais tenaient des paniers au bout d'une perche au-dessus des vapeurs des sources.

– Ils font cuire des œufs et du maïs pour
les vendre aux touristes, dit Mme Beckett.
Ça vous plairait d'y goûter ?
Tout le monde était d'accord. Miss Daisy
acheta des épis de maïs.

– Je n'en ai jamais mangé de meilleurs,
déclara Naïma.
La visite des huit enfers se terminait par une
curiosité. Une ferme d'un genre particulier…

– Je le crois pas ! rit Alexa. Des crocodiles !
En effet, les charmantes petites bêtes se
prélassaient avec bonheur dans leur piscine
chauffée par les eaux du volcan.

– Tu crois qu'ils sont là pour soigner
leurs rhumatismes ? plaisanta Rajani.

– Et si nous allions prendre un bon bain ?
proposa Mme Beckett. Beppu est situé
au bord de la mer.

– On n'a pas nos maillots ! répondit
Mickael.

– Oh, ce n'est pas nécessaire… dit
Mme Beckett avec un sourire mystérieux.

***

Naïma mit les poings sur ses hanches. Avec
ses camarades, elle découvrait de quel genre
de « bon bain » le professeur parlait. Idalina
resta bouche bée : une femme armée d'une
pelle enterrait les gens dans le sable !

– Alors, qu'en pensez-vous ? demanda
Mme Beckett. On y va ?

– Ça a l'air amusant, répondit Alexa.
Mais ça sert à quoi ?

– Le sable est chauffé par l'eau
souterraine. Il paraît que c'est excellent
pour le cœur et la circulation sanguine.
Ça devrait aussi guérir Naïma
de son rhume !

– J'espère que c'est vrai, soupira Naïma.

On devait d'abord se changer. L'hôtesse
d'accueil leur remit à chacun un confortable
peignoir. Puis ils s'allongèrent sur le sable
noir. Et bientôt, il ne resta plus d'eux qu'une
rangée de têtes !

– J'étouffe ! râla Michelle. Et puis
je ne peux plus bouger et j'ai le nez
qui me gratte !

– Tu commences à nous fatiguer à te
plaindre sans arrêt, rétorqua Johannis.

Mme Beckett coupa court à leur conversation. Elle leur ordonna de se dépêcher. Les autres étaient déjà rhabillés. Leur journée se termina par une belle surprise. Ils étaient logés dans un *ryokan*, une auberge traditionnelle. Comme dans toutes les maisons japonaises, on enlevait ses chaussures avant d'entrer. Les chambres étaient fermées par un panneau de bois et de papier.

— Où sont les lits ? s'étonna Idalina.

Kumiko lui montra les rouleaux gris posés sur le *tatami*, le tapis de paille tressée.

— Voici nos lits, expliqua-t-elle.

Ça s'appelle un futon. Dans les *ryokan*, le futon est déplié tous les soirs et rangé tous les matins.

— Il faut qu'on fasse les lits nous-mêmes, si je comprends bien ! grogna Michelle.

— Mais non ! répondit Kumiko.

L'aubergiste les préparera pour nous !

– Et en plus, on va dormir par terre…
ajouta Michelle en faisant la grimace.

– Johannis a raison, dit Alexa. On en a
marre de t'entendre te plaindre !

Miss Daisy passa la tête par le panneau ouvert.

– Est-ce que ce n'est pas ravissant, cet
endroit ? Vous avez vu le jardin ? Il y a un
onsen, ici même. Nous n'avons même pas
besoin de ressortir !

Un *onsen* est une source thermale, aménagée
pour que l'on s'y baigne. Mais on n'y entre
pas sans s'être d'abord lavé ! Miss Daisy
conduisit les sept filles jusqu'à la salle des
douches. L'aubergiste les attendait à l'entrée.
Elle prêta à chacune un joli kimono en
coton et une paire de *geta*, les chaussures
traditionnelles en bois.

Le bassin carré était creusé dans la roche.
Tout autour, le carrelage était noir et luisant.
Des bancs de bois étaient prévus pour y
déposer les kimonos. Une fontaine en pierre
en forme de dragon déversait de l'eau dans
le bassin. Des plantes tropicales donnaient
au lieu une impression de calme
et de sérénité.

    – Ça fume ! remarqua Alexa.
Elle parlait de la vapeur qui flottait
légèrement au-dessus du bassin. Louise
mit un doigt dans l'eau. Elle le retira aussitôt.

    – Ouh là ! C'est brûlant !
Idalina avait dû faire un gros effort pour
oser se déshabiller. Mais elle ne voulait pas
avoir l'air aussi bête que Michelle ! Idalina
surmonta sa timidité. Ses camarades ne
semblaient pas gênées, alors pourquoi
le serait-elle ? Tout le monde utilisa
sa bassine pour se mouiller et s'habituer

à la chaleur de la source. Kumiko entra
la première dans le bassin. Elle dut même
attendre cinq minutes avant d'être capable
de s'asseoir.

    – C'est vrai que ça fait du bien, constata
Rajani. Je crois que je pourrais rester
là-dedans pendant des heures.
Idalina éclata brusquement de rire.

    – Je suis contente que Mme Beckett
ne soit pas là ! Ce serait trop bizarre de
se baigner avec un de nos professeurs !

    – Le *onsen* est ouvert vingt-quatre heures
sur vingt-quatre, répondit Kumiko.
Je suppose qu'elle viendra plus tard
avec Miss Daisy.

Après un long moment de silence, Naïma
s'exclama soudain :

    – Hé ! Vous savez quoi ? Je n'ai plus
le nez bouché !

Ça faisait quand même bizarre d'être bordée comme un bébé !
Le petit déjeuner offrit à Michelle une nouvelle occasion de se plaindre. Du riz, du poisson et des algues !

— Ils ne connaissent pas le pain et la confiture dans ce pays ? râla-t-elle.

Le regard que lui lança Mme Beckett suffit à la faire taire.

— Je vous conseille de manger, dit le professeur. Vous allez avoir besoin d'énergie !

Il y eut un moment assez drôle lorsque Mickael avala sans précaution la pâte verte posée au bord de son assiette. Il devint tout rouge et se mit à tousser.

— Aïe ! Mais ça pique ! gémit-il.

Qu'est-ce que c'est que ça ?

– Du *wasabi*, répondit Mme Beckett.

C'est la moutarde japonaise !

Après le petit déjeuner, les enfants récupérèrent leurs chaussures restées dehors. En tirant sur le lacet de sa basket gauche, Naïma l'entendit craquer.

– Oh zut ! s'exclama-t-elle. J'ai cassé mon lacet ! Comment je vais marcher maintenant ?

– Je peux te prêter un de ceux de ma paire de tennis, proposa Rajani.

Naïma entreprit de changer de lacet. Kumiko la regardait, l'air si troublé qu'Idalina lui demanda si elle allait bien. Après une hésitation, Kumiko lui répondit :

– C'est que… au Japon, on croit qu'un malheur va arriver quand on casse un lacet.

– Ah non ! protesta Alexa. Tu ne vas

Elle s'avança vers le chemin qui grimpait sur les flancs du volcan. Alexa, Louise, Mickael et Naïma la suivirent aussitôt.

– Mais... heu... balbutia Johannis, c'est long pour arriver jusqu'en haut ?

    – Oh, à peine une heure ! répondit Mme Beckett.

    – Ça sert à quoi, le téléphérique, si on ne le prend pas ? grommela Michelle.

    – Vous êtes déjà fatigués avant d'avoir fait un pas ! ricana Mme Beckett. À votre âge ! Allez, un peu de nerf, que diable ! Et je ne veux pas entendre de pleurnicheries !

Quelques arbres d'un vert très foncé s'accrochaient au pied du volcan. L'herbe rase disparaissait au fur et à mesure que l'on montait vers le sommet. Peu à peu, elle laissait place à des roches brunes et grises. Mickael pointa le doigt vers des constructions en béton le long de la route.

– C'est quoi, ces drôles de bâtiments ?
demanda-t-il.

– Ah ça ! répondit Mme Beckett d'un ton
réjoui. Ce sont des abris pour protéger
les touristes en cas de petite éruption !
Michelle s'arrêta si brusquement que John
qui marchait derrière elle lui rentra dedans.

– Que… Quoi ? Comment ça,
« en cas de petite éruption » ?

– Le cratère du mont Naka vers lequel
nous allons est le seul toujours actif des
cinq sommets du volcan Aso. Alors, de
temps en temps, il pleut des cailloux !

– Ne vous inquiétez pas, dit Miss Daisy.
S'il y avait du danger aujourd'hui, il serait
interdit de monter.

– Oui, approuva Mme Beckett. Bien qu'il
y ait toujours quelques touristes qui…
Miss Daisy se retourna et fit de gros yeux
au professeur.

– Qui... hum... qui sont imprudents, termina Mme Beckett.

Johannis chuchota à l'oreille de son copain Mickael :

– Qui sont morts, oui.... Je crois que Mme Beckett cherche à se débarrasser de nous...

Mickael se mit à rire, pour montrer qu'il n'avait pas peur, mais il repéra attentivement où se trouvaient les abris. Le chemin était assez raide et semblait grimper sans fin. Les enfants devinrent bientôt silencieux. À mi-hauteur, Miss Daisy décida qu'une halte leur permettrait de reprendre des forces. Elle sortit les bouteilles d'eau de son sac. Idalina s'appuya sur un rocher et admira le panorama.

– C'est beau... murmura-t-elle.

– « *Lointaine cime*
que frappe le soleil
terres dénudées. »

Rajani regarda Mme Beckett avec étonnement.

– C'est un haïku du poète Kyoshi, expliqua Mme Beckett. Les haïkus sont des poèmes japonais très courts. Ils font souvent référence à la nature et aux saisons. Les mots employés sont en général simples, ce qui ne signifie pas que ces poèmes soient faciles à comprendre ! Un haïku, c'est un peu comme prendre une photo. C'est une image, une impression, un sentiment, quelque chose que l'on a vu ou une expérience que l'on a vécue. C'est toujours très symbolique. Et si vous essayiez d'en inventer, vous aussi ?

– Mon pied me fait mal, je veux redescendre ! dit Michelle.

– Eh bien... répondit Mme Beckett, on pourrait améliorer un peu ton haïku... Hum, voyons... Oui : « Mal aux pieds, je rêve de la descente. »

– Mais je faisais pas de la poésie ! s'écria
Michelle. J'ai une ampoule au talon !
Tout le monde éclata de rire, sauf Michelle
qui ne trouvait pas ça drôle du tout.
Miss Daisy, toujours prévoyante, avait
emporté une pochette avec des
pansements. Elle aida la pauvre Michelle
à enlever sa chaussure.

– Tu exagères, dit Miss Daisy
après un rapide examen. Ta peau
est à peine rouge.
Elle posa quand même un pansement.
Du coup, John en demanda deux pour lui,
juste par précaution parce que ses baskets
étaient neuves.
Kumiko contemplait le ciel chargé de
nuages blancs. Sans en avoir conscience,
elle murmura à mi-voix :

– « *Pensant à toi, je suis comme la pleine lune,
dont nuit après nuit décroît l'éclat…* »

– C'est joli, dit Naïma à côté d'elle.

Tu viens de l'inventer ?

Kumiko sursauta et secoua la tête.

– Non, non. C'est… J'ai lu ça quelque part.

Je ne connais pas l'auteur.

– Chang Chiu-ling, répondit Mme Beckett.

– Quoi ? fit Kumiko, interloquée.

– Et le poème en entier c'est :

« *Depuis ton départ, mon bien-aimé,*

mes mains n'ont plus touché à l'ouvrage.

Pensant à toi, je suis comme la pleine lune,

dont nuit après nuit décroît l'éclat. »

– Chang Chiu-ling ? répéta Kumiko.

Ça ne ressemble pas à un nom japonais !

– Non, en effet. C'était un poète chinois

qui a vécu au viiie siècle.

Kumiko écarquilla les yeux.

– Chinois ? Vous êtes sûre ?

Mme Beckett acquiesça.

– Vous savez vraiment beaucoup

de choses, remarqua Rajani, admirative.
Mme Beckett sourit. John et Michelle ayant
remis leurs chaussures, le petit groupe
repartit en direction du sommet. Personne
ne s'était aperçu du trouble qui avait saisi
Kumiko. Celle-ci laissa les autres passer
devant pour rester seule à l'arrière.
Une fumée blanche s'élevait au-dessus du
cratère du mont Naka. Les roches noires,
grises et brunes avaient remplacé toute
végétation.

> – On a l'impression d'être sur la lune, dit
> Idalina. Il n'y a plus un brin d'herbe, ici !
> – Le paysage a été façonné par les
> coulées de lave, répondit Mme Beckett.
> C'est vrai qu'on se croirait sur la lune !

Le plus spectaculaire était à venir.
Au sommet du mont, le vent soufflait fort.
Il faisait assez froid. Naïma s'approcha de la
barrière en bois. Elle poussa une exclamation.

Au fond d'un gouffre de 160 mètres brillait
l'eau bleu-vert d'un lac d'où montait par
bouffées une odeur d'œufs pourris. Au gré des
bourrasques du vent, la fumée blanche cachait
ou dévoilait l'étincelante couleur du lac.

— Je reconnais que ça vaut le déplacement,
commenta Mickael. Ça serait chouette
de descendre jusqu'au lac !

— Même si tu arrivais en bas sans te
blesser, les gaz toxiques te tueraient,
répondit Mme Beckett.

Mickael grimaça. Son professeur trouvait
toujours les bons mots pour rassurer
ses élèves !

Michelle demanda s'ils allaient prendre
le téléphérique pour le retour. Miss Daisy
soupira.

— Tu pourrais peut-être regarder un peu
le panorama, Michelle.

— Ouais bah, j'ai vu ! Et puis, ça pue !

– C'est le soufre que l'on sent, dit
Mme Beckett. Il y a des chemins qui
partent vers les autres sommets. On va...

– Non, l'interrompit précipitamment
Miss Daisy. Concordia, vous oubliez que
ce ne sont que des enfants. Ils ne sont
pas capables de marcher pendant
des heures !

– Moi, je suis d'accord ! s'écria Alexa.
La randonnée, ça ne me fait pas peur !
Tous ses camarades se tournèrent vers elle,
l'air consterné.

– Alors, on prend le téléphérique ?
espéra John.

– Pas question, rétorqua Mme Beckett.
Quelle bande de mous du genou !
Johannis murmura dans le creux de l'oreille
de Mickael :

– Et si on jetait Mme Beckett dans
le gouffre ?

Mickael se mit à rire. Et rit beaucoup moins quand il fallut repartir. Michelle n'arrêtait pas de se plaindre. Elle avait faim, elle avait froid, elle avait mal aux pieds, au dos et à la tête. Elle était tellement pénible que Johannis suggéra de l'abandonner sur le bord de la route. Après ça, Michelle se mit à bouder.

Chapitre 6
Le secret de Kumiko

C e fut avec joie que les enfants
découvrirent qu'ils allaient
de nouveau dormir dans une
auberge traditionnelle. Là aussi, il y avait
un *onsen* privé.

– On va se baigner ? proposa Rajani.
Je crois que ça nous ferait le plus
grand bien.

Louise déclina l'offre : elle était si fatiguée
qu'elle préférait se reposer avant le dîner.

Michelle, évidemment, refusait toujours
de se déshabiller devant les autres et,
de toute façon, elle boudait !

    – Super ! s'exclama Naïma. On est
    toutes seules ! Oh, c'est joli aussi, ici !
Le bassin du *onsen* était en pierres noires.
L'eau fumante s'y déversait doucement d'un
tube en bambou. Le sol était en bois, un très
beau bois d'une teinte rougeâtre.
Les Kinra Girls étaient contentes de se
retrouver entre elles. Revêtues des kimonos
roses prêtés par l'aubergiste, les filles
s'assirent au bord du bassin pour s'y tremper
les pieds. Elles commencèrent à discuter
tranquillement en attendant de s'habituer
à l'eau brûlante.

    – Tu es très silencieuse, aujourd'hui,
    dit Rajani à Kumiko.
Et, à la stupéfaction générale, Kumiko fondit
en larmes.

– Je suis désolée ! s'affola Rajani.
Je ne voulais pas te faire de la peine !

– C'est... c'est pas toi ! hoqueta Kumiko
entre deux sanglots.

– Qu'est-ce que tu as ? demanda Idalina,
inquiète.

– Je… je sais pas qui je suis !

Kumiko cacha son visage en pleurs dans ses mains. Rajani essaya de passer son bras autour des épaules de Kumiko pour la consoler, mais celle-ci s'écarta d'un brusque mouvement. Un long et pesant silence s'installa. Naïma et Alexa échangeaient des regards stupéfaits. Idalina n'était pas loin de pleurer, elle aussi. Elle ne supportait pas de voir Kumiko aussi malheureuse. Puis soudain Rajani dit :

– Moi, je sais qui tu es. Tu es notre amie.

– Nous, on t'aime ! ajouta Idalina d'une voix légèrement tremblante.

– Pour toujours, compléta Naïma.

– Et tu peux compter sur nous ! s'exclama Alexa.

Kumiko releva la tête et esquissa un petit sourire triste.

– Merci… murmura-t-elle. Pardon, je ne voulais pas… je pouvais pas vous

> expliquer avant... C'est que... c'est encore
> très dur pour moi.

Elle renifla et s'essuya les joues. Et puis, d'un coup, Kumiko raconta toute l'histoire, son histoire[9].

C'était quelques mois avant que Kumiko entre à l'Académie. À cause de sa méchante tante Maho, Kumiko avait appris brutalement qu'elle avait été adoptée. Ses parents ne pouvaient pas avoir d'enfant. Comme ils connaissaient l'un des prêtres du sanctuaire des Renards à Kyoto, ils lui avaient demandé conseil. Le prêtre leur avait dit que les dieux ne les oublieraient pas et leur donneraient un enfant. Pendant des années, les parents de Kumiko avaient prié les dieux, mais rien ne se passait. Un jour de pluie, très tôt le matin, le prêtre avait fait une découverte incroyable. Au pied d'une statue de *Kitsune*, le renard, il avait trouvé un panier avec

---

9. *Voir* Le Secret de Kumiko, *dans la même collection.*

un bébé à l'intérieur ! On ne sut jamais qui l'avait abandonné là. Le prêtre avait donné le bébé à ses amis pour qu'ils puissent l'adopter. C'était Kumiko.

— On t'a trouvée dans un panier ?
fit Alexa les yeux ronds. C'est dingue !
— Mais il n'y avait pas une lettre ou quelque chose comme ça ? questionna Naïma.
— Si, répondit Kumiko. Il y avait un gros cahier rouge, un carnet de dessins.

Ses parents adoptifs pensaient que le carnet était très ancien, peut-être centenaire. Les dessins étaient magnifiques, certainement l'œuvre d'un grand artiste. Il y avait surtout des paysages. Sur l'une des pages était peinte une branche de prunier en fleur.

– Il n'y avait que quelques mots écrits sur cette page, dit Kumiko. « *Pensant à toi, je suis comme la pleine lune, dont nuit après nuit décroît l'éclat.* » Et aujourd'hui, j'apprends par Mme Beckett qu'il s'agit d'un poème chinois ! Chinois !

– Tu crois que ta vraie famille pourrait venir de Chine ? demanda Rajani.

– Je ne sais pas ! gémit Kumiko. Je suis complètement perdue !

– Ouah… un mystère ! dit Alexa, les yeux brillants. On devrait enquêter !

– Mais ça ne va pas ? protesta Naïma. Et tu vas t'y prendre comment ? En allant en Chine pour interroger tout le monde ?

– Non, rétorqua Alexa. Si on a laissé le carnet rouge dans le panier, c'est pour une bonne raison. Je suis prête à parier qu'il y a des indices cachés dedans ! Tiens, le poème, par exemple.

Il mène à la Chine. Est-ce que c'est par hasard ? Ça m'étonnerait ! Et puis, les paysages représentés existent sûrement dans la réalité. Il faut les examiner très attentivement, un par un. Sur ces dessins, il y a peut-être des temples ou des montagnes qui sont reconnaissables. Et enfin, pourquoi a-t-on déposé le panier dans le sanctuaire des Renards ? Peut-être que c'est une piste aussi !

– C'est fou le nombre de choses auxquelles tu peux penser, dit Naïma, impressionnée.

– Ouais, je suis pas mauvaise à ce jeu-là... répondit Alexa.

– Sauf que ce n'est pas un jeu ! gronda Rajani. C'est sérieux !

Idalina observait Kumiko avec un peu d'inquiétude. Comme Rajani, elle craignait que son amie ne soit blessée par les remarques d'Alexa. L'Australienne ne se rendait pas compte que, pour Kumiko, la question était grave !

– Ben… fit Kumiko, les sourcils froncés. J'ai regardé les dessins des dizaines de fois. Mais je ne me suis jamais demandé s'il contenait des indices…

Kumiko agita ses pieds dans le bassin. Elle poussa un léger soupir.

– Je suis contente de vous avoir tout raconté. Je me sens mieux, maintenant, comme si on avait enlevé un poids de mes épaules. C'est difficile de parler de ça avec mes parents. Je crois que ça leur fait de la peine. Peut-être qu'ils ont peur que je ne les aime plus comme avant. Mais je les adore ! Ce sont des parents formidables ! Je veux seulement savoir d'où je viens et pourquoi on m'a abandonnée…

— On cherchera avec toi, déclara Rajani.
Kinra *Girls forever*[10] !

— Kinra *Girls forever* ! crièrent quatre voix
en écho.

***

L'aubergiste du *ryokan* traversa le jardin en
trottinant. Elle posa son plateau sur la table
et s'inclina avant de repartir. Mickael se
lécha les lèvres.

— Hum… elles ont l'air bonnes, ces glaces !
Vu la couleur, je dirais qu'elles sont à…
la pistache peut-être ?

Mme Beckett secoua la tête. Non, ce n'était
pas de la pistache.

— Un peu pâle, ce vert, remarqua
Johannis. De la menthe ?

— Perdu, répondit Mme Beckett.
Quelqu'un a une autre idée ?

---

10. Kinra Girls forever *(en anglais) : Kinra Girls pour toujours !*
« Cri de guerre » *des Kinra Girls, de* girls, *qui veut dire* « filles »,
et de forever, *qui signifie* « toujours, pour toujours ».

Louise prit une coupe et goûta la glace.

– Moi, je dis que c'est du thé !

– Pas bête, admit Mme Beckett.

Désolée, encore perdu !

La glace n'avait pas un parfum très fort
et personne ne devina ce que c'était.

– C'est de l'igusa, finit par dire Mme Beckett.

– Mais... bégaya Kumiko. Mais... c'est avec
ça qu'on fabrique les *tatamis* !

– L'igusa est une plante, expliqua
Mme Beckett. Un genre de roseau.
Et, oui, c'est avec ça qu'on fabrique
les *tatamis* !

– On est en train de manger le tapis !
s'exclama Alexa, hilare. C'est la meilleure !

Tout le monde se mit à rire sauf Michelle,
qui reposa sa coupe d'un air dégoûté.

Idalina regarda la volière au centre du jardin. À l'intérieur, deux couples de canaris voletaient joyeusement.

– Comment on dit « oiseau » en japonais ? demanda-t-elle.

– *Tori*, répondit Kumiko.

– *Tori ga yonhiki imasu !* déclara Idalina d'un air très sûr. « Il y a quatre oiseaux » !

– Ah… presque ça…

– Quoi ? grommela Idalina. Tu m'avais dit que, pour les animaux, « quatre » se traduisait par « *yonhiki* » !

– Heu oui, c'est ça. Sauf pour les oiseaux et les lapins. Là, il faut dire « *yonwa* ». *Tori ga yonwa imasu.* « Il y a quatre oiseaux » !

– Sauf pour les oiseaux et les lapins ? répéta Idalina, interloquée. Ben, pourquoi ?

– Aucune idée ! rit Kumiko. C'est comme ça, c'est tout !

Chapitre 7

Une petite bête qu'on n'attendait pas ici !

Tôt le lendemain matin, le groupe de Mme Beckett se mit en route. Direction : le sud de l'île de Kyushu. En début d'après-midi, le minibus se gara devant la barrière d'un camping.

— Nous sommes à côté du lac Ikeda, dit Mme Beckett. Il a été créé par un volcan. Nous allons nous installer ici.

— Ici où ? demanda Michelle.

– Au camping, évidemment, répondit
Miss Daisy. Qu'est-ce qu'il y a dans les
sacs qu'on transporte depuis Beppu,
à ton avis ?

– Des tentes ! s'exclama Alexa, ravie.

Chouette ! On va dormir dans la nature !
Kumiko prit une photo de la tête de Michelle
juste à ce moment-là. Naïma fut prise de
fou rire en regardant l'écran de l'appareil
numérique que lui montrait Kumiko.
Michelle avait l'air à la fois stupéfaite,
scandalisée et dégoûtée. C'était vraiment
très drôle.

En cette saison, le camping était
normalement fermé. Mais Mme Beckett
avait passé un accord avec le propriétaire.
Celui-ci leur avait donné l'autorisation de s'y
installer. Le petit bâtiment où se trouvaient
les douches et les toilettes avait été laissé
ouvert à leur intention.

– C'est génial, il n'y a personne !
remarqua Mickael. On ne sera pas
dérangés !

– On va rester pendant longtemps ?
s'inquiéta Michelle.

– Deux jours, dit Miss Daisy. Nous
repartirons de l'aéroport de Kagoshima,
la ville où nous nous sommes arrêtés
pour déjeuner.

– Le temps passe trop vite, soupira Rajani.
Mme Beckett proposa de remettre à plus
tard l'installation des tentes et d'aller se
promener. Tout le monde remonta dans le
minibus. Le lac Ikeda était d'un magnifique
bleu azur, un joyau dans un écrin de verdure.
Même si la plupart des touristes avaient
déserté les lieux, les restaurants du lac
étaient heureusement encore ouverts.
Mme Beckett arrêta le minibus devant
l'un d'eux.

– Qu'est-ce que c'est que ce truc ?
demanda John en pointant le doigt.
Couché dans l'herbe, se prélassait…
un dinosaure à deux bosses qui souriait
de toutes ses dents ! Enfin, un dinosaure…
sa statue, plus exactement.

– C'est le monstre du loch Ness ! s'écria
Johannis.

– Plutôt un membre de sa famille,
expliqua Mme Beckett. Je vous présente
Issie. C'est le monstre du lac Ikeda !

– Il existe pour de vrai ? demanda Louise.

– Mais non, idiote ! fit Michelle
en haussant les épaules.

– Oh, ça, rétorqua Mme Beckett,
ce n'est pas sûr… Issie a été aperçue
par beaucoup de gens. D'ailleurs,
l'office de tourisme de la région offre
une récompense de 100 000 yens[11] à
quiconque la prendra en photo ! Et

11. *Yen : monnaie japonaise. 100 000 yens = environ 800 euros.*

figurez-vous que quelqu'un a déjà gagné.

– On a une photo d'Issie ? s'étonna Naïma.

– Oui. Comme on en a du monstre
du loch Ness !

– C'est des blagues, remarqua Mickael.
Des montages ou des silhouettes
en carton !

– Ce qui est sûr, répondit Mme Beckett,
c'est que des anguilles géantes vivent dans
le lac Ikeda. Certaines personnes pensent
que ce sont ces anguilles que les gens
ont vues. Ah oui… Issie est une femelle !
Enfin, c'est ce que dit la légende.

Le professeur leur raconta l'histoire. Issie était une jument qui vivait paisiblement avec son poulain. Un samouraï lui vola son enfant. Désespérée, la jument se jeta dans le lac et se transforma en monstre aquatique. Depuis lors, Issie restait dans les profondeurs obscures. Mais de temps en temps, Issie réapparaissait pour chercher son poulain perdu.

Rajani se tourna vers ses amies.

– C'est incroyable, leur dit-elle à mi-voix. Ça ressemble au rêve que j'ai fait à Beppu !

– Sauf que dans ton rêve il y avait un corbeau, remarqua Idalina, il n'y en a pas dans la légende.

Naïma s'intéressait plus à ce qui se passait dans le restaurant qu'à la conversation. Le chef cuisinier était en train d'enfiler de petits morceaux d'une chose inconnue sur des brochettes en bambou.

– Qu'est-ce que c'est ? demanda-t-elle
à Kumiko.

– Des foies d'anguille. Ça se mange grillé
avec du gingembre.

Naïma fit la grimace. Elle était gourmande
et adorait goûter des plats qu'elle ne
connaissait pas, mais il y avait une limite
à sa curiosité !

Le vent balaya les eaux du lac, créant des
vaguelettes à sa surface. Le ciel, cependant,
était toujours libre de tout nuage. Juste,
peut-être, un léger voile qui couvrait
l'horizon…

Alexa, jambes écartées et poings sur les
hanches, respira profondément. La mer
tout près envoyait des bouffées d'air marin.

– C'est drôlement beau, admira-t-elle.
On va grimper ?

Mme Beckett acquiesça et indiqua le chemin
qui longeait les berges. Le lac était encaissé

entre des parois verdoyantes, presque des falaises par endroits. Alexa ne s'était pas trompée : ils allaient grimper ! Michelle râlait, pour changer. Elle pouvait se plaindre autant qu'elle en avait envie, personne ne l'écoutait ! Ses camarades étaient de bonne humeur et heureux de se promener dans ce magnifique paysage. De l'autre côté du lac, le volcan Kaimon-dake crachait paisiblement ses fumées blanches. Il n'était pas dans ses intentions d'entrer en éruption. Pas dans l'immédiat, en tout cas.

La serveuse du restaurant regarda le groupe qui partait vaillamment à l'assaut des pentes escarpées. Puis elle se détourna et s'occupa de ses affaires.

Le cuisinier servit les brochettes à un couple, ses derniers clients. Avant de nettoyer son plan de travail, il alluma sa radio pour suivre la retransmission d'un match de base-ball, un sport très populaire au Japon. Le journaliste terminait de donner les nouvelles auxquelles le cuisinier ne prêta pas attention. Le typhon qui avait frôlé les îles Philippines stationnait maintenant au-dessus de l'océan Pacifique. Il ne se déplaçait pas vite et ne paraissait guère menaçant. Et il était loin des côtes, alors pourquoi s'inquiéter ?

Un corbeau se posa sur l'une des bosses de la statue d'Issie. La femme du couple l'observa par la fenêtre du restaurant. Elle aurait pu trouver ça drôle. Mais elle fronça les sourcils. Elle finit sa brochette et demanda à son mari de se dépêcher un peu. Elle avait hâte de partir. Parce que les corbeaux portent malheur.

Quand le ciel
vous tombe sur la tête

Le chemin serpentait au travers d'une vraie jungle tropicale. Alexa décida d'escalader un rocher dans l'espoir d'avoir une vue dégagée sur le lac. Mme Beckett, qui marchait en tête, se retourna en l'entendant s'extasier sur le superbe panorama. Fâchée, le professeur lui ordonna de redescendre. Alexa obéit un peu trop précipitamment. Elle dérapa et glissa jusqu'au bas du rocher… sur les fesses. Rajani se précipita vers elle pour l'aider à se relever.

— Tu ne t'es pas fait mal ? demanda Rajani.

— Non, non ! répondit Alexa en riant. C'est tout moi, ça ! Miss plaies et bosses !

— J'aimerais que vous évitiez de faire les singes, dit sévèrement Mme Beckett. Mickael, c'est à toi que je parle !

Pris en faute, Mickael s'arrêta brusquement. Il s'était écarté du chemin.

— Mais, madame, j'ai envie de faire pipi !

John annonça qu'il avait une pressante envie également. Et puis Louise leva le doigt parce que, elle aussi… Mme Beckett soupira en voyant les doigts qui se levaient l'un après l'autre. Elle donna son accord aux enfants en leur recommandant la prudence. Ses élèves s'éparpillèrent dans toutes les directions,

pour son plus grand désespoir. Au bout
de quelques minutes, tout le monde était
revenu. Enfin, presque.

– Où est Michelle ? s'inquiéta Miss Daisy.
Quelqu'un sait de quel côté elle est partie ?
Personne n'avait prêté attention. Miss Daisy
appela Michelle. Aucune réponse. Et avant
que Mme Beckett ait eu le temps de réagir,
les enfants avaient déjà disparu dans la forêt
en hurlant « Michelle ! ».

– Revenez immédiatement ! cria
Miss Daisy. C'est un ordre !
Elle fut heureusement écoutée. Tous
les enfants réapparurent sur le chemin.
Enfin, presque.

– Où est Alexa ? s'affola Mme Beckett,
le visage blême.
Miss Daisy rattrapa Mickael par la manche
de son tee-shirt.

– On ne bouge plus ! dit-elle fermement.

Je vais à leur recherche. Et vous, vous restez avec Mme Beckett ! C'est compris ?

Miss Daisy tendit son sifflet à Johannis et lui demanda de donner de petits coups de sifflet toutes les dix secondes. Comme ça, elle pourrait retrouver son chemin facilement.

La forêt était tellement dense qu'on n'aurait pas aperçu un éléphant s'il y en avait eu un. Idalina frissonna. Elle leva les yeux. Le vent agitait violemment le haut des arbres. Il lui sembla que le ciel avait viré au gris. Allait-il pleuvoir ?

Pendant ce temps-là, Alexa s'enfonçait dans la jungle. Elle avait remarqué des branches de fougères cassées. Alexa était une fille

de la brousse. Elle savait suivre une piste.
Cette idiote de Michelle s'était aventurée
bien trop loin !

Alexa poussa une exclamation sourde
et s'accrocha à des tiges de bambou. Son
pied avait rencontré le vide ! À cause de
la végétation, elle n'avait pas vu qu'elle
se tenait au bord d'un précipice. Alexa
s'agenouilla, écarta les plantes puis se
pencha prudemment. Oh non... Michelle !
La malheureuse gisait à quelques mètres
en dessous, immobile.

Alexa examina la pente raide. Michelle
n'avait vraiment pas eu de chance. Elle était
passée entre les bambous qui auraient pu
l'empêcher de tomber aussi bas. Alexa s'assit
et empoigna une grosse fougère avec la main
droite. Elle fit un quart de tour sur elle-même
et balança ses jambes dans le vide.
Doucement... elle lâcha la fougère.

Couchée sur le côté, Alexa glissa dans
la pente jusqu'au bosquet de bambous.
À partir de là, il lui fut beaucoup plus facile
de descendre.

Alexa s'accroupit près de Michelle et lui
toucha l'épaule. Elle fut rassurée quand
Michelle tourna la tête vers elle.

    – Ça va ? demanda Alexa en l'aidant
    à se redresser.

    – Non, ça va pas ! gémit Michelle.
    Oh ! J'ai déchiré mon petit haut
    KBF ! C'était mon préféré !

Alexa ne put s'empêcher de
rire. Michelle et ses fringues,
c'était quelque chose !

    – Bon, dit Alexa,
    apparemment
    tu n'es pas blessée.

    – Pas blessée ? répéta
    Michelle, mécontente.

Là, je saigne ! Là ! T'es aveugle ou quoi ?

– Tu te moques de moi, ce ne sont que des écorchures ! Tu devrais t'estimer heureuse de t'en tirer à si bon compte !

De grosses gouttes de pluie traversèrent l'épaisse végétation et s'écrasèrent sur le sol. De plus en plus nombreuses, de plus en plus serrées... Alexa enfonça son talon dans la terre et fit la grimace. La terre était déjà humide avant qu'il pleuve. Si elle se transformait en boue, il deviendrait impossible d'escalader la pente.

– Hello ! fit une voix au-dessus des deux filles.

– Miss Daisy ! s'écria Alexa. Vous n'avez pas une corde d'alpiniste par hasard ?

– J'ai dû la laisser dans mon autre pantalon. Pas de bobo ?

– Si ! brailla Michelle. J'ai un horrible trou dans mon KBF ! C'est une catastrophe !

Il fallut quelques secondes à Miss Daisy pour comprendre de quoi il s'agissait.

— Heu oui, dit Miss Daisy. Effectivement, c'est tragique. Est-ce que vous pouvez remonter ?

— On peut se retenir aux bambous, répondit Alexa. Le problème, c'est qu'ils ne vont pas jusqu'en haut.

Miss Daisy regarda tout autour d'elle. Elle pointa le doigt vers des rochers.

— Et si vous passiez de ce côté, plutôt ? D'ici, j'ai l'impression que c'est plus facile.

Alexa approuva. Michelle trouva le moyen de se plaindre une fois de plus en se mettant debout. Elle avait mal au genou. Et au coude. Et à la cheville. Et...

— Et une gifle, ça te ferait du bien ? demanda Alexa. Parce que ça me tente, là, tout de suite.

Michelle devint rouge comme une tomate.

Mais elle arrêta ses jérémiades. Elle avait peur d'Alexa !

Certes, il n'était pas trop difficile d'escalader les gros rochers. Malheureusement, ils étaient déjà très mouillés. Les semelles des baskets glissaient terriblement. À plusieurs reprises, Alexa rattrapa Michelle, la hissa, la poussa et… lui cria dessus pour la faire avancer. Miss Daisy suivait avec angoisse leur périlleuse ascension. Elle soupira de soulagement quand, enfin, Michelle et Alexa atteignirent le sommet. Miss Daisy posa la main sur l'épaule d'Alexa et la serra. Cette fille, quand même, c'était quelqu'un !

— Bravo ! dit Miss Daisy. Dépêchons-nous. Concordia doit être morte d'inquiétude !

À travers le rideau de pluie, Michelle contempla la jungle devant elle. Elle se mit à pleurnicher.

— Par où ? Il n'y a pas de chemin ! On est

perdues ! Je suis trempée jusqu'aux os !
Et je suis gelée ! Non mais, c'est quoi
ce pays ? Ça ne suffisait pas qu'il y ait
des tsunamis et des volcans, il faut aussi
qu'il y ait des tempêtes ?

– Si tu te taisais une minute, rétorqua
Miss Daisy, tu entendrais les coups
de sifflet !

Miss Daisy prit la tête de la marche. Alexa
restait silencieuse, contrairement à ses
habitudes. Michelle avait raison sur un
point : ce n'était pas une simple averse
qui frappait la forêt. Alexa vivait dans une
région tropicale en Australie. Elle savait ce
que c'était qu'un ouragan. Et ce vent furieux
qui faisait plier les cimes des arbres, ça y
ressemblait énormément...

Johannis était proche de l'asphyxie à force
de souffler dans le sifflet. Naïma ne tenait
plus en place. Elle supportait mal d'être

obligée d'attendre ! Idalina frissonnait,
de froid tout autant que de peur. La pluie
s'abattait maintenant avec une telle violence
que la végétation n'offrait plus aucune
protection.

— Arrête de te ronger les ongles !
ordonna Rajani à Kumiko.

— Peux pas m'en empêcher, marmonna
Kumiko.

— Ça y est ! Je les vois ! s'écria Louise. Une,
deux… trois ! Ouf ! Elles sont toutes là !
Mme Beckett porta la main à son cœur.
Au moins une chose qui se terminait bien.
Hélas, il leur fallait affronter un autre
problème, et pas des moindres. Surtout,
ne pas affoler les enfants…

— Bon, bon ! dit Mme Beckett. On fait
demi-tour. Il… heu… pleut un peu fort.

— Vous nous prenez pour des idiots,
remarqua Mickael. C'est un typhon !

– Un typhon ? répéta John, effrayé.

– Mais non ! répondit précipitamment
Mme Beckett. Juste un gros orage.
Allez, en avant !

Miss Daisy donna le rythme en partant
à grands pas. Elle n'avait pas l'intention
de traîner dans le coin plus longtemps !
Idalina et Michelle avaient quelques
difficultés à suivre la cadence. Naïma se
retournait sans cesse pour les encourager
de la voix. Alexa regarda Kumiko.

– À croire que les corbeaux portent
vraiment malheur.

– Et que rêver de cheval annonce
vraiment une catastrophe, ajouta Rajani.

– Le plus étonnant, c'est que tu as vu des
éclairs dans ton rêve, lui dit Kumiko.
C'est comme si le *kami*[12] du tonnerre
t'avait envoyé un message pour nous
prévenir.

---

12. Kami *(en japonais) : esprits et dieux du shinto, la principale
religion du Japon.*

Johannis dérapa et s'étala de tout son
long dans la boue. Il se releva aussitôt.
D'ordinaire, Mickael n'aurait pas manqué
de se moquer de son copain. Mais cette fois,
il n'avait pas envie de rire.

Naïma poussa une exclamation de stupeur.
Où était passé le lac Ikeda si bleu et si serein ?
Les eaux étaient prises dans les tourbillons
de vent et s'élevaient en véritables petites
tornades qui tournoyaient à la surface
du lac. Des vagues se formaient au large
des berges et roulaient jusqu'à s'écraser
sur les barrières, les bancs et la route. La
statue d'Issie se prenait des paquets d'eau.
C'était étrange. On avait l'impression que
le monstre aquatique nageait ! Rajani
écarquilla les yeux. Leur minibus garé sur
le parking se déplaçait tout seul !

À ce moment-là, Mme Beckett eut
réellement peur. Impossible de se réfugier

dans le minibus comme elle l'avait espéré. Le véhicule risquait d'être emporté par la tempête et de se fracasser sur des rochers ou, pis, de finir dans le lac !

Miss Daisy ne savait plus quoi faire. Sortir de la forêt, c'était quitter le maigre abri que leur offraient les arbres. À la lisière où ils étaient arrivés, le vacarme était si fort qu'on ne pouvait plus parler sans hurler.

— Le restaurant ! cria Alexa en pointant le doigt.

— Tout le monde est parti ! répondit Miss Daisy.

Mme Beckett prit une décision. Plus personne ? Eh bien, tant pis. Ils allaient entrer quand même !

— Venez ! ordonna-t-elle. Il faut courir le plus vite possible !

Mme Beckett empoigna Idalina par le bras. Pas question de lâcher la plus petite des

enfants. Et puis, sans hésiter, elle s'élança
vers ce qui avait été une belle pelouse.
Miss Daisy l'imita, tenant Michelle par
la main. Les autres suivirent. Chaque pas
demandait un effort terrible. Mickael faillit
perdre une basket, aspirée par la boue.
Bousculée par un violent coup de vent,
Louise s'accrocha au bras de John pour
ne pas tomber. La plus rapide à la course
était Naïma. Elle atteignit la terrasse du
restaurant la première. Elle essaya d'ouvrir la
porte, évidemment verrouillée. Les fenêtres
étaient inaccessibles derrière leurs volets
de bois. Naïma sentit le désespoir monter
en elle. Ils étaient perdus !
C'était compter sans Mme Beckett. Elle
sortit la trousse de secours de son sac à
dos dans laquelle il y avait… un couteau
suisse. Plaqués par le vent contre le mur
du restaurant, les enfants regardèrent

leur professeur dévisser les vis de la barre qui fermait un des volets.

Rajani se tourna vers le lac. Une gigantesque colonne d'eau se dressait vers le ciel noir, zébré d'éclairs d'un jaune comme elle n'en avait jamais vu. Elle pensa : « C'est comme dans mon rêve... »

Mme Beckett avait réussi à enlever la barre et à ouvrir le volet. Elle se servit du couteau pour casser un carreau. Elle passa la main dans le trou et débloqua le loquet. Elle poussa la fenêtre.

– Attention aux morceaux de verre, conseilla-t-elle.

Un par un, les enfants enjambèrent le rebord et entrèrent. Mme Beckett referma derrière elle. Johannis s'effondra sur une chaise. Idalina s'assit à côté de lui et se mit à pleurer.

– Et maintenant, on attend,

dit calmement Mme Beckett.

Rajani était restée près de la fenêtre.
La colonne d'eau venait de s'effondrer,
d'un coup, comme ça. Le cyclone
poursuivait son chemin vers l'intérieur
de l'île. Il laissait derrière lui une pluie
torrentielle et un vent chaud.

— Je crois que c'est raté pour le camping,
remarqua Alexa.

Idalina éclata de rire entre ses larmes.

Chapitre 9
Carnet de voyage

Kumiko se redressa sur sa chaise. Comme tous ses camarades, elle s'était endormie, la tête sur la table. Elle aperçut d'abord Mme Beckett, debout au milieu de la salle. Puis elle vit qu'il y avait plusieurs autres adultes.

– Qu'y a-t-il ? marmonna Alexa en ouvrant un œil.

– Ce sont les pompiers, lui répondit Kumiko.

Miss Daisy se tourna vers elles et sourit. Elle leur expliqua que la serveuse du restaurant avait remarqué le minibus sur le parking en quittant son service. Elle avait prévenu la police, malheureusement un peu trop tard. Personne n'avait prévu que le typhon allait brusquement changer de trajectoire et frapper Kyushu. Les secours n'avaient pas pu venir plus tôt car des arbres étaient tombés en travers de la route.

— Tout va bien, dit Mme Beckett aux enfants qui se réveillaient les uns après les autres.

Les pompiers distribuèrent des couvertures de survie pour les réchauffer. Rajani se leva pour regarder par la fenêtre. Il pleuvait toujours, mais le vent s'était calmé. Le lac Ikeda était encore agité de vaguelettes. Rien de comparable avec la furie des heures passées ! La terre détrempée était jonchée de débris : des branches, des poubelles, des morceaux de barrière et même des bancs fracassés.

> – Et notre pauvre minibus ? demanda Mickael.

Miss Daisy eut un air désolé.

> – Il est hors d'usage. Nous allons pouvoir récupérer nos affaires, malgré tout.
> Par chance, les portes ne se sont pas ouvertes. Les pompiers vont vous conduire à la ville de Kagoshima.
> Nous irons dans une auberge pour nous remettre de nos émotions !

> – J'en reviens pas qu'on ait passé toute la nuit ici, s'étonna Idalina.

Un jeune secouriste entra dans le restaurant. Il portait des Thermos de thé chaud et une glacière dans laquelle il y avait des sandwichs. Il fut accueilli par des applaudissements, ce qui l'amusa beaucoup.

Une fois les sandwichs avalés, tout le monde monta dans les camionnettes des pompiers. Par la vitre, Mickael et Alexa aperçurent le minibus renversé dans le fossé. Le vent l'avait déplacé de plus de 50 mètres !

– Eh bé... murmura Alexa. T'imagines, si on s'était réfugiés dans notre minibus ? Les véhicules roulaient très lentement sur la route en partie inondée. Les chauffeurs devaient faire très attention pour éviter les trous et les troncs d'arbres.

– Merci, Mme Beckett, dit soudain Idalina.

– Oui, merci, ajouta Rajani. Vous nous avez sauvé la vie !

– Pour Mme Beckett : hip, hip, hip, hourra ! cria Mickael.

– Chuuut, du calme ! protesta le professeur. Vous allez effrayer le conducteur !

Mais on lisait dans ses yeux que les hourras de ses élèves lui faisaient très plaisir.

* * *

Naïma se pencha vers l'arrière et éternua violemment.

– Oh zut... Je me suis enrhumée
à nouveau !

Kumiko avait sorti son carnet de voyage et croquait ses amies assises autour de la table de la cafétéria de l'aéroport. Bientôt, leurs camarades de classe arriveraient
en provenance de Kyoto. Et après, retour
à l'Académie...

– Difficile de croire qu'il y a à peine deux
jours on était prises dans un cyclone ! dit
Alexa. Ça nous fera une sacrée histoire
à raconter !

– J'ai essayé de le faire en dessins,
répondit Kumiko. Ce n'est pas facile

de dessiner la pluie. Qu'est-ce que vous
en pensez ?

Elle poussa le carnet vers Rajani.

Idalina émit un « oh » admiratif.

Kumiko avait bien rendu le mouvement des arbres tordus par les bourrasques de vent. Son croquis du restaurant avec les enfants plaqués contre le mur était aussi particulièrement réussi.

Rajani eut un frisson devant la page où Kumiko avait dessiné les petites tornades d'eau sur le lac.

— Eh ! Tu n'as pas oublié cette chère Issie ! s'exclama Alexa. Et tu as fait tout ça de mémoire ?

— Oui. Hier après-midi, à l'auberge, pendant que vous dormiez !

— Ben, on était fatiguées, remarqua Naïma. Tu es vraiment très douée, Kumiko. Ton carnet de voyage est génial. J'aimerais avoir ton talent...

Le serveur posa son plateau près de Rajani et servit le thé et le jus de prune.

— Ah chouette ! dit Alexa en prenant le

verre. Je commençais à en avoir marre
du thé !

Idalina réfléchissait en contemplant la
table. Bon, alors... Les tasses n'étaient ni des
chats, ni des oiseaux, ni des lapins, donc...
Elle sortit son dictionnaire et au bout de
quelques secondes déclara avec assurance :

– *Ocha*[13] *ga yondai to jûsu ga ippai !*

« Quatre tasses de thé et un verre de jus » !

Ah non, Kumiko, pas encore la grimace !

Je ne peux pas me tromper, cette fois !

– Désolée, répondit Kumiko, mais... si.
Parce qu'il y a du liquide dans la tasse,
« quatre » se dit « *yonhai* » et non « *yondai* »...

Idalina prit le parti d'en rire. Le japonais était
une langue tellement compliquée qu'elle
n'était pas près de la parler correctement !
Un quart d'heure plus tard, Miss Daisy
apparut dans la cafétéria avec Mme Ganz
et son groupe d'élèves. Elle frappa dans

---

13. Ocha *(en japonais) : thé vert.*

ses mains. Il était temps de se diriger vers la salle d'embarquement.

En traversant le hall, Alexa aperçut quelque chose qui la plongea dans l'hilarité. Les yeux pétillants de malice, elle se retourna et cria :

– Tu as vu, Michelle ? Il y a une boutique KBF dans l'aéroport !

Michelle devint verte de dépit. Il était trop tard pour faire du shopping !

Rajani eut un sourire amusé en passant devant Mme Beckett. Le professeur recomptait les enfants.

VOCABULAIRE

Arigatô (en japonais) : merci.

Bless you (en anglais) :
à tes (vos) souhaits !

Dômo arigatô gozaimasu (en japonais) :
merci beaucoup. En japonais,
le plus souvent le « u » à la fin des mots
ne se prononce pas.

Ekiben (en japonais) :
coffret-repas. Peu chers et toujours frais,
ces coffrets-repas sont très appréciés
par les Japonais.

Famiresu (en japonais) :
restaurant où l'on peut manger des plats
japonais ou occidentaux bon marché.

Forever (en anglais) :
toujours, pour toujours.

Geta (en japonais) :
chaussures traditionnelles en bois.

Girls (en anglais) : filles.

Hikôki (en japonais) : avion.

Kami (en japonais) :
esprits et dieux du shinto,
la principale religion du Japon.

Kitsune (en japonais) : renard.

Neko (en japonais) : chat.

Ocha (en japonais) : thé vert.

Onsen (en japonais) :
source thermale,
aménagée pour la baignade.

Ryokan (en japonais) :
auberge traditionnelle.

Shigatsu (en japonais) : avril.

Tatami (en japonais) :
tapis de paille tressée.

Tori (en japonais) : oiseau.

Wasabi (en japonais) :
moutarde japonaise.

LES RÈGLES DE POLITESSE AU JAPON

Les us et coutumes varient souvent beaucoup d'un continent et d'un pays à l'autre, notamment les règles de politesse.

Certaines habitudes japonaises seraient ainsi considérées comme malpolies, voire incongrues, en Europe. Par exemple, aujourd'hui les Japonais ne se mouchent jamais en public, surtout dans un mouchoir en tissu, ce n'est pas hygiénique. En revanche, certains n'hésitent pas à renifler jusqu'au moment où ils pourront se moucher à l'abri du regard des autres.

Lorsqu'ils mangent des nouilles, les Japonais les aspirent en faisant beaucoup de bruit. Un bruit que

© stuartbur/Istockphoto

© KM4/Istockphoto

les Occidentaux et les Japonais de très bonne
éducation considèrent comme très malpoli.

Pour se saluer, ils ne se serrent pas la main et
ne se font pas la bise. Ils s'inclinent légèrement
devant les personnes qu'ils rencontrent. Une légère
et rapide inclinaison de la tête suffit. Les contacts
physiques sont réduits au minimum : toucher
quelqu'un, c'est lui manquer de respect.

Mais les règles de politesse évoluent sans cesse
et les jeunes Japonais, qui voyagent bien plus que
leurs aînés, commencent à intégrer certains codes
occidentaux. Ainsi les hommes d'affaires japonais
abandonnent de plus en plus le salut traditionnel
pour serrer la main aux étrangers, par exemple.

LE CODE MULLEE MULLEE

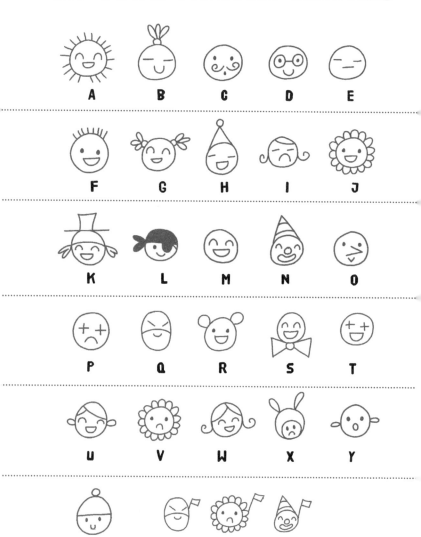

Z

La présence d'un accessoire (drapeau, étoile, fleur…) indique le début d'un mot.

Au secours Danger Tout va bien

Bora = réunion secrète.
Borakawa = rendez-vous au moulin.
0% = attention, les pestes sont dans le coin.

faire un clin d'œil 2 fois de suite :
SUIVEZ-MOI !

Se mettre un doigt dans le nez :
PESTES EN VUE !

Se tirer l'oreille :
ATTENTION ! Quelqu'un nous écoute !

Se gratter le haut du crâne comme un singe :
BORA

Tirer la langue en serrant le cou :
AU SECOURS ! J'ai été empoisonnée !

S'enfuir en courant :
UN CROCODILE ME COURT APRÈS !

Se frotter le ventre avec une main,
l'autre main sur la hanche :
J'AI VU QUELQUE CHOSE D'INTÉRESSANT
(comme le chat fantôme...)

SUIS LES AVENTURES DES KINRA GIRLS

LE SECRET DE KUMIKO **k**

IDALINA CHANTEUSE DE FLAMENCO **i**

NAÏMA ET LE CIRQUE DE NEW YORK **n**

RAJANI VEUT DANSER **r**

LE CODE SECRET D'ALEXA **a**

LA RENCONTRE DES KINRA GIRLS **1**

LE CHAT FANTÔME **2**

LES GRIFFES DU LION **3**

QUI A PEUR DES FANTÔMES ? **4**

DESTINATION JAPON **5**

LA CLÉ D'OR **6**

PREMIER AMOUR **7**

LE ROYAUME DES OMBRES **8**

SUR LA PISTE DU TRÉSOR **9**

CARTES POSTALES DU MONDE **10**

LE DRAGON BLEU **11**

VOYAGE EN PAYS HANTÉ **12**

LE PALAIS DE LA LUNE **13**

LE COYOTE S'EN MÊLE **14**

UN AMOUREUX SECRET **15**

FAITES UN VŒU **16**

LES GARÇONS À LA RESCOUSSE **17**

+ 3 HORS SÉRIE !

AVANT LA RENCONTRE

LA RENCONTRE DES KINRA GIRLS

LE TIGRE ET LA PRINCESSE

DÉCOUVRE AUSSI LES ACTIVITÉS CRÉATIVES DES KINRA GIRLS

Pour décorer
courriers et cahiers

Pour t'amuser
pendant des heures

Pour toute
l'année scolaire

À emporter
partout

Pour créer tes looks
préférés

Pour y écrire
tes secrets

Crée tes
bracelets brésiliens !

Une belle
boîte à garder
précieusement

lili
Chantilly

Découvre notre Lili aussi drôle que têtue
et suis-la au fil de ses aventures...

Tome 1

Depuis toute petite,
Lili adore dessiner, créer
et veut devenir styliste.
Mais son père s'y oppose…

Tome 2

Lili entre en sixième au collège Dalí,
une école d'art. Mais la rentrée
n'est pas de tout repos…

Tome 3

Un défi est lancé à la classe de Lili :
organiser un défilé de mode !

Tome 4

Lili passe beaucoup de temps
aux écuries, mais les pestes
ne la laissent jamais tranquille…

Tome 5

Le père de Lili vient passer
quelques jours avec sa fille.
Mybel, de son côté, monte un clan
de style kawaï contre Lili…

Tome 6

De drôles de bruits réveillent
les élèves de l'École Dalí
en pleine nuit…

Tome 7

Lili est de retour chez elle…
où une belle suprise l'attend !

Tome 8

La classe de Lili participe
à un concours d'art.

Tome 9

Lili reçoit le résultat
du concours d'art.

Tome 10
À PARAÎTRE
(décembre 2015)

Rejoins-nous sur
www.lilichantilly.com

ISBN : 9782809647266.
Dépôt légal : juin 2012.
Imprimé Chine.

Loi n° 49-956 du 16 juillet 1949 sur les publications destinées à la jeunesse.

Textes et illustrations reproduits avec l'aimable autorisation de Corolle.

Mise en page : Isabelle Southgate.
Mise au point de la maquette : Cédric Gatillon.
Roc Prépresse pour la photogravure.

Nous tenons à remercier pour leur contribution à cet ouvrage :
M. Bellamy-Brown ; C. Bleuze ; J.-L. Broust ; S. Champion ; N. Chapalain ; A.-S. Congar ;
M. Dezalys ; E. Duval ; M.-S. Ferquel ; D. Hervé ; M. Joron ; A. Le Bigot ; B. Legendre ;
L. Maj ; K. Marigliano ; C. Onnen ; L. Pasquini ; C. Petot ; C. Schram ; M. Seger ; V. Sem ;
S. Tuovic ; K. Van Wormhoudt ; M.-F. Wolfsperger.